# Guía de
# supervivencia
# para
## *papás*

# Guía de supervivencia para *papás*

**Martyn Cox**

**Grijalbo**

**Diseño** Toni Kay
**Edición** Annabel Morgan
**Búsqueda** Emily Westlake
**Producción** Toby Marshall
**Dirección de arte** Leslie Harrington
**Dirección editorial** Alison Starling

Primera publicación en el Reino Unido por
Ryland Peters & Small en 2010
© 2010, Ryland Peters & Small por el
   texto, el diseño y las fotografías
© 2009, Random House Mondadori, S.A.,
   por la presente edición. Travessera de
   Gràcia, 47-49. 08021 Barcelona
© 2009, Ana Riera Aragay, por la
   traducción

Primera edición: mayo de 2010

El autor y la editorial no se hacen
responsables de cualquier daño
producido por el uso o uso
incorrecto de las sugerencias de este
libro. La información recogida en el
libro es correcta y está actualizada,
en la medida en que ha sido posible,
pero insistimos en que sirve
únicamente de consejo y en ningún
caso reemplaza el consejo médico de
un especialista. Consulte con su
médico si está preocupada por algún
tema de salud de su hijo.

Maquetación: puntgroc, s.l.
ISBN: 978-84-253-4414-5
Impreso y encuadernado en China

GR 44145

# sumario

introducción                                6

planes y preparativos                       8
la llegada del bebé a casa                 38
cuestiones prácticas
importantes                                80

créditos de las fotografías               112

# introducción

Independientemente de si llevas años siendo un solterón o viviendo con tu pareja, el hecho de convertirse en papá por primera vez suele resultar apasionante y a la vez aterrador. Hasta ahora solo tenías que pensar en ti, pero a partir de este momento deberás tener en cuenta una familia y a medida que tu hijo crezca te enfrentarás a retos nuevos todos los días.

Es posible que te suene a tópico muy manido, pero cuando oigas decir a un padre que tener un hijo te cambia la vida, piensa que es algo completamente cierto. En el preciso instante en que veas a tu hijo por primera vez, sentirás la necesidad apremiante de protegerlo; además, la responsabilidad que supone alimentar y ocuparte de tu hijo te proporciona una sensación de madurez que hace que tu vida anterior al niño parezca un tanto banal.

Para que el paso de la vida en pareja a vivir como una familia sea lo menos traumático posible, debes plantearte muchas cosas antes de que nazca tu hijo. Así que ¿cómo debes afrontar la llegada de una personita que está a punto de cambiar por completo tu vida? Pues sencillamente debes estar preparado.

Yo tengo dos hijos; cuando mi pareja se quedó embarazada por primera vez (tuvimos un niño), me las arreglé como pude, pero para cuando mi mujer dio a luz a nuestro segundo hijo (una niña), me sentía ya todo un experto. Está claro que cada experiencia es diferente, pero la información de primera mano junto con los consejos de los amigos resultan muy útiles.

Este sencillo libro no pretende reemplazar a una guía exhaustiva ni a un libro de consulta. No soy ningún experto en psicología infantil ni en temas de paternidad; soy tan solo un papá normal y corriente que espera ofreceros algunos consejos prácticos y realistas que os faciliten las cosas.

Además de consejos sobre cómo prepararos durante el período previo al nacimiento, qué hacer cuando llegue el gran día y qué podéis esperar cuando el bebé entre en casa, encontraréis información práctica que os ayudará en la elección del cochecito, o a conseguir tener una casa a prueba de niños.

Te felicito, estás a punto de convertirte en papá. Va a ser una experiencia con muchos altibajos, pero de lo más agradable y divertida.

# planes y preparativos

## piensa en el futuro

Bien hecho, ¡vas a ser papá! Suena estupendo, ¿verdad?... Pero quizás te asusta un poco, ¡sobre todo cuando te das cuenta de que estás a punto de dejar atrás la vida que conoces y de adentrarte en un territorio totalmente desconocido!

Aunque todavía falta bastante para el gran día, el tiempo pasará volando y antes de que te des cuenta, estarás contemplando la carita de tu bebé. Algunos hombres no hacen nada para prepararse y optan por dejarse llevar hasta que su pareja da a luz, pero eso puede traducirse en una sorpresa desagradable cuando llega el niño.

Los meses que preceden a la fecha en que tu pareja sale de cuentas pueden ser divertidos y gratificantes. Utilízalos para pasar tiempo con ella y hablar del futuro. Es el momento de hacer planes y preparativos. Decidid dónde dar a luz, disfrutad decorando la habitación del pequeño y empezad a reunir todo lo que vayáis a necesitar. Tu futura paternidad te brinda también la oportunidad de comprarte un bólido nuevo...Perdón, me refería a un cochecito.

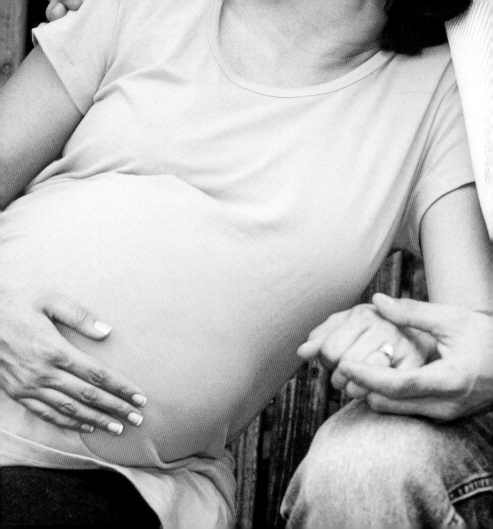

elecciones importantes

Normalmente se decide conjuntamente dónde se va a dar a luz, pero dado que será tu mujer quien tenga que hacer todo el trabajo duro para traer el niño al mundo, resulta más diplomático (y probablemente más justo) que la opinión de ella cuente más. Básicamente las opciones son dar a luz en casa o en un hospital. Algunas parejas prefieren dar a luz en casa porque se sienten más cómodas en su propio entorno, pero esta opción requiere planificar muchas cosas por anticipado y es posible que tengas que alquilar un equipamiento especializado, como por ejemplo una piscina para partos.

El lugar preferido para dar a luz suele ser el hospital. Es posible que tu obstetra te sugiera un hospital, o quizás prefiráis mirar un par de centros antes de deciros.

Visitar un hospital es un poco como recorrer un edificio histórico, porque hay muchos aparatos caros que no puedes tocar y un guía (por regla general, una enfermera o una comadrona) que conoce perfectamente su trabajo. Primero te mostrará las instalaciones y luego tendrás la oportunidad de hacer preguntas, de modo que al final de la visita verás más o menos claro si te gustaría que tu pareja diera a luz en ese hospital o no. De todos modos, no dejes que la primera impresión te desanime; la comadrona de uno de los hospitales que visitamos (que se parecía extraordinariamente a una carcelera que salía en una serie de televisión) nos hizo saber que «no toleraba ninguna tontería por parte de los padres», por lo cual ni ella ni el hospital se ganaron mi simpatía. Sin embargo, en el parto de mi hijo nos tocó esa misma comadrona y resultó ser de gran ayuda y una persona encantadora.

Si tenéis dudas acerca de un hospital, debéis recabar información de amigos que hayan tenido sus hijos allí. Si la respuesta es negativa, siempre podéis considerar otras opciones. Sin embargo, tened en cuenta que no es aconsejable escoger un hospital que esté muy lejos, ya que deberéis acudir a él varias veces durante el embarazo, para las ecografías, y puede que tengáis que ir con prisas cuando llegue el momento de dar a luz.

# ecografías

Mucho antes de tener al bebé en tus brazos, tendrás la oportunidad de ver cómo se desarrolla gracias a las ecografías. Normalmente se realizan un mínimo de dos ecografías durante el embarazo. La primera se lleva a cabo entre la semana 8 y la semana 12, y sirve para hacer una serie de mediciones; la segunda suele realizarse entre la semana 18 y la 22, y en ella el médico hará un examen más minucioso del bebé.

A causa de mis compromisos profesionales, no pude estar presente en las ecografías de mi primer hijo y

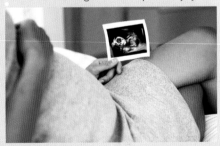

me tuve que conformar con una mala fotografía del feto, que, francamente, podría haber sido una foto de cualquier cosa; ¡aun así, conseguí convencerme a mí mismo de que podía distinguir su sonrisa! No obstante, sí pude estar presente en la primera ecografía de mi segunda hija, y verla mover sus diminutas extremidades en la pantalla resultó muy emocionante. Por primera vez ese bulto que lleva tu mujer en su vientre se convierte en un bebé real… ¡No te preocupes: si lo deseas, puedes llorar llegado este momento!

En la segunda ecografía, es posible que el médico pueda deciros el sexo del bebé. ¿Queréis saber su sexo o no? Nosotros decidimos que no queríamos saberlo, pero muchos futuros padres prefieren saberlo por cuestiones meramente prácticas. Si no deseáis saberlo, mencionadlo de antemano; de lo contrario, el ecógrafo podría meter la pata y descubrir el pastel antes de tiempo.

# lecturas útiles

Si miras las estanterías de cualquier librería, encontrarás un sinfín de guías dedicadas a todos y cada uno de los aspectos relacionados con el embarazo, el parto y la educación del bebé. Resulta inevitable que algunos de ellos, o incluso una enorme pila, acaben en tu casa, y lo que cualquier futuro padre ha de preguntarse es: «¿Debería leerlos?». Pues bien, he de decir, en honor a la verdad, que yo no leí nada, que le dejé esa tarea a mi mujer, quien se leyó lo que me pareció una biblioteca entera. ¿Por qué no los leí? No porque fuera un egoísta, sino más bien porque todo lo que mi mujer leía me era fielmente transmitido. Es evidente que el antiguo boca a boca sigue funcionando perfectamente.

Hablando en serio, leer una guía general sobre el embarazo y el parto es una buena idea, ya que demostrarás que te interesan el parto y el período

posterior al nacimiento. Además, te permitirá saber exactamente por lo que está pasando tu pareja y te ayudará a comprender toda la jerga técnica que oirás cuando vayas al médico o al hospital. Tras el nacimiento de tu hijo, descubrirás asimismo que vale la pena tener siempre a mano un buen libro que trate sobre las enfermedades infantiles.

# de vuelta al colegio

Si pensabas que lo de estudiar se había terminado el día
que te licenciaste, tengo que decirte que estabas
equivocado. Como ocurre con cualquier tema en el que
no se tiene experiencia, también la paternidad resulta
más fácil si se recibe un poco de información que te
prepare para el torbellino que está a punto de poner
tu vida patas arriba. Siempre tienes la opción de

no hacer nada de nada y confiar simplemente en tu instinto para superar las primeras semanas de tu nueva vida, pero en un momento u otro sin duda te sentirás confuso, preocupado o necesitarás ayuda. Por consiguiente, no está de más apuntarse a unas clases de preparación a la paternidad; te ayudarán a hacerte una idea aproximada de lo que te espera.

De hecho, las clases de preparación no tienen nada que ver con el colegio. Son informales, los grupos son reducidos y no tienes que levantar la mano para ir al baño. Y tampoco recibes una puntuación al final. Se imparten en hospitales, centros cívicos, colegios y bibliotecas, suelen darse una vez a la semana y duran un par de horas.

En ellas normalmente se habla del parto y de la vuelta a casa con el bebé, y se ofrece a los futuros padres información, buenos consejos y la oportunidad de aprender nuevas destrezas, entre ellas las técnicas de respiración y relajación que pueden ayudar a tu pareja con el parto.

Además, permiten conocer a otros futuros papás que viven en el vecindario, así como hacer nuevos amigos.

Si por alguna razón no puedes asistir a uno de estos cursos, en Internet encontrarás numerosos foros, chats y blogs que puedes visitar para conseguir información sobre el parto y sobre cualquier cosa relacionada con el recién nacido. Si tienes una pregunta específica, puedes dejar un mensaje y esperar la respuesta de otros usuarios.

Cuando llegue el bebé, quizás te apetezca concurrir a clases centradas en los primeros días de vida del pequeño, que ofrecen apoyo y ayuda con la nueva paternidad, tanto si lo que necesitas son consejos para calmar el llanto del bebé como si tu problema es la falta de sueño.

Aunque ahora te parezca imposible, especialmente si lleváis varios años juntos, una vez que seáis una familia a veces os costará recordar cómo eran las cosas cuando estabais los dos solos. A pesar de que la vida familiar te resulte de lo más natural (para muchos de nosotros lo es), vale la pena aprovechar al máximo los últimos días sin niños. Una vez comprado todo el equipo, decorada la habitación del pequeño y planificado el parto, lo mejor que podéis hacer es pasar algún tiempo juntos antes de que llegue el gran día. Si a tu pareja le falta poco para salir de cuentas, optad por un fin de semana largo, pero si la futura mamá puede coger un avión (la mayoría de compañías aéreas permiten volar a las embarazadas hasta que están de 28 semanas), podéis iros un poco más lejos.

Además de pasar tiempo juntos como pareja, también debéis poneros al día con vuestros amigos y compañeros de trabajo, sobre todo por lo que se refiere a la noche. En cuanto nazca el bebé, os costará seguir el ritmo de antes. Se os necesitará en casa, sobre todo los primeros días. Además, piensa que incluso en el caso de que tu pareja te dé «permiso» para salir por la noche, es muy probable que lo que te apetezca sea volver corriendo a casa para estar con tu nueva familia.

# tiempo juntos

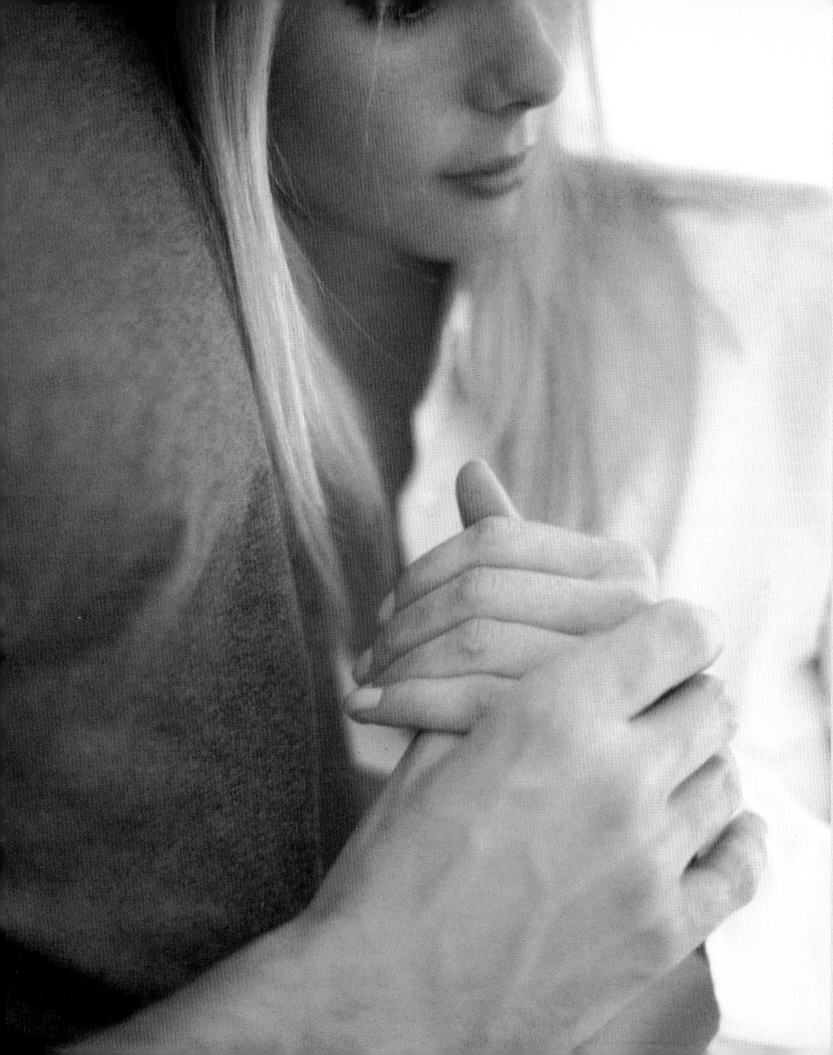

# equipo de emergencia para el parto

A las embarazadas se les enseña a preparar una bolsa con las cosas imprescindibles que han de llevarse al hospital, entre ellas ropa, cosas para el recién nacido y artículos de tocador. Sin embargo, es importante que también el futuro padre prepare su propio equipo de emergencia para el parto. Lo ideal es hacerlo unas semanas antes de que la futura madre salga de cuentas; así evitarás las prisas en el último minuto, cuando ella te diga que ha llegado el momento de ir al hospital y que tenéis que iros «ya». Bajo tal presión, lo normal es que te olvides algo.

Ante todo, es importantísimo llevar dinero. En la mayoría de hospitales el aparcamiento es de pago, de modo que asegúrate de que llevas monedas suficientes. Estas también son útiles para comprar tentempiés y bebidas en las máquinas, que pueden ser tu única forma de subsistencia si llegáis al hospital en plena noche, cuando los bares y tiendas están cerrados.

Necesitarás un teléfono móvil para informar a los familiares y amigos de vuestros progresos. Comprueba que tienes todos los números importantes almacenados en la memoria del teléfono, para evitar quedar mal con miembros importantes de la familia, tales como tus suegros; si son los últimos en enterarse de que acaban de convertirse en abuelos, te pondrán en la lista negra para siempre.

A menos que tengas mucho tiempo libre después del nacimiento (algo que es muy poco probable), puedes dejar establecida una cadena de llamadas, que simplifica la tarea de comunicar a mucha gente que todo ha ido bien. Para ello deberás llamar a dos personas (por ejemplo, a tus padres y a los de ella), quienes deberán a su vez llamar a otras dos personas, que a su vez llamarán a otras dos personas y así hasta que todo el mundo se haya enterado. Tendrás que dedicarle algo de tiempo para dejarlo organizado de antemano, pero garantiza que no nos olvidemos de nadie.

Una cámara de fotos o de video resulta indispensable para inmortalizar los primeros momentos con tu nuevo hijo, mientras que una revista o un libro te resultarán muy útiles si hay alguna tregua. No hace falta decir que durante el parto está tajantemente prohibido poner los pies sobre la mesa, coger un libro y saborear una taza de café. ¡Quedaría fatal!

Es posible que en el hospital no te dé tiempo a darte una ducha, pero agradecerás refrescarte; te bastará con un cepillo de dientes, pasta dentífrica y desodorante.

Si te da tiempo, prepara algunos bocadillos o ten a punto algo que puedas coger de la nevera antes de salir corriendo. Durante la estancia en el hospital, este se encargará de alimentar a tu pareja, pero tú deberás arreglártelas por tu cuenta. Si el parto se alarga y ella necesita que estés cerca para tranquilizarla, quizás no puedas salir ni siquiera para conseguir un tentempié.

# tu apoyo durante el parto

Durante el parto propiamente dicho, es posible que haya momentos en los que te sientas como un cero a la izquierda. Pero no te preocupes, la futura madre notará que estás allí y te lo agradecerá.

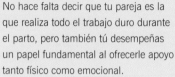

No hace falta decir que tu pareja es la que realiza todo el trabajo duro durante el parto, pero también tú desempeñas un papel fundamental al ofrecerle apoyo tanto físico como emocional.

Puedes encargarte de acercarle vasos de agua, de pasarle una esponja por la frente si está sudando y de hacerle un masaje en los hombros, los pies o las manos para que no esté tan pendiente de los dolores. Durante la última fase del parto (conocida como transición), puedes ayudarle a concentrarse en empujar y respirar, y cogerle la mano para transmitirle toda la confianza del mundo (tienes que estar preparado para sofocar los gritos ocasionales de dolor que sientas cuando ella te estruje la mano durante las contracciones). En el nacimiento de mi primer hijo, tuve incluso que sujetar la pierna izquierda de mi mujer, ya que el estribo de la sala de partos había desaparecido.

Existen pocas probabilidades de que eso vuelva a ocurrir, pero has de estar preparado para cualquier imprevisto…

Si habéis optado por dar a luz en un hospital, os encontraréis en un entorno ligeramente intimidatorio, y una cara familiar le proporcionará seguridad y le ayudará a concentrarse. No permanezcas callado. Anima a tu pareja y tranquilízala diciéndole lo bien que lo está haciendo. Lo mejor es que te apuntes ya a esas clases de preparación al parto; ¡de lo contrario, el acontecimiento puede cogerte completamente por sorpresa!

# por fin conoces a tu hijo

La mayoría de nosotros hemos experimentado en alguna ocasión una sensación abrumadora causada por la emoción y la excitación. En mi caso fue el día que aprobé el examen de conducir después de seis intentos; estaba absolutamente eufórico por haber conseguido el permiso de conducción después de tanto tiempo. Sin embargo, nada, ni siquiera ese instante, es comparable a la emoción que se siente al ver por primera vez a tu hijo.

Tras nueve largos meses de espera, comprando ropa y bártulos, planificando y viendo crecer el bulto de tu pareja, tocándole la barriga y notando como responde el bebé, y de ayudarla durante el parto, el instante en el que ves por primera vez a tu bebé es la cosa más apasionante, emotiva y estimulante del mundo. Te lo aseguro.

En mi caso, además, sentí una enorme sensación de alivio. Los embarazos a veces tienen complicaciones y mientras mi mujer estaba de parto, los médicos detectaron sufrimiento fetal en el niño.

Así pues, el obstetra se preparó para una cesárea de emergencia. Yo le cogía la mano mientras la operaban y me quedé paralizado, pegado a la silla, mientras una comadrona recibía el cuerpo diminuto y se lo llevaba a un equipo de reanimación. El pequeño no emitió ningún sonido y tenía el cuerpo flojo. Me aterrorizaba pensar que algo había salido mal y le apreté la mano a mi pareja temblando; cuando por fin oí su primer llanto, me eché a llorar.

Los instantes siguientes son los mejores que vivirás jamás. Yo los pasé contemplando a mi hijo, un fardo diminuto y precioso envuelto en una mantita, mientras cosían a mi mujer y la llevaban a la sala de recuperación. Le dieron el bebé y se quedaron los dos juntos tumbados en la cama, y yo, cerca de ellos en una silla. Fue la primera vez que estábamos juntos como una familia, y un momento de lo más tranquilo y relajante comparado con la experiencia aterradora que acabábamos de vivir.

si las cosas no salen
según lo previsto…

Tras la llegada del bebé, todos desearéis iros a casa lo antes posible para empezar vuestra nueva vida en familia. Si todo ha ido bien, lo normal es que tu pareja sea dada de alta a las 24 o 48 horas de dar a luz, y a lo mejor incluso antes si no ha habido complicaciones y ha tenido un parto sencillo.

Sin embargo, si ha habido complicaciones, o si han tenido que practicar una cesárea de emergencia a la madre, deberás tener paciencia ya que tu pareja deberá quedarse un poco más en el hospital, hasta que los médicos estén convencidos de que se está recuperando correctamente.

Por regla general, una mujer que da a luz por cesárea suele permanecer en el hospital tres o cuatro noches, o incluso más si ella (o el médico) considera que necesita un poco más de tiempo para descansar y recuperarse. Dado que las cesáreas de emergencia siempre te cogen por sorpresa y nunca forman parte del plan original, no os habréis planteado qué hacer en tales circunstancias.

Durante ese tiempo puedes utilizar el permiso por paternidad o parte de tus vacaciones, y es importante que vayas a ver a tu pareja y a tu bebé todos los días. Has de disponer de tiempo para establecer un vínculo afectivo con tu pequeño, y para dar a la madre todo el apoyo y compañía que necesite.

Es posible que te apetezca estar en el hospital desde que empieza el horario de visitas hasta que el personal anuncia que se ha terminado, pero deberías considerar la opción de acudir al hospital dos veces al día. Ir durante unas horas por la mañana, luego volver a casa para realizar algunos quehaceres domésticos y finalmente regresar a media tarde. Es importante que cuando tu pareja vuelva a casa, no se encuentre todo patas arriba: montones de ropa sucia y un gran desorden. Estará exhausta y más que ocupada con vuestro precioso recién nacido.

la llegada del bebé a casa

# un nuevo capítulo

Esto es lo que has estado esperando con impaciencia, el momento en que el bebé llegara a casa. Cuando te conviertes en padre por primera vez, resulta excitante, estimulante. Sin embargo, este nuevo capítulo de tu vida también supondrá retos nuevos e inesperados. No te preocupes, no hay nada que no seas capaz de afrontar. Las claves para sobrevivir a las excitantes semanas que te esperan son hablar con tu pareja, esperar lo inesperado y disfrutar de la responsabilidad que supone ser papá.

# coge en brazos a tu bebé

A muchos padres primerizos al principio les da miedo coger en brazos a su bebé, porque les parece terriblemente frágil y pequeño. Como cualquier otra cosa en la vida, se trata de una habilidad que con un poco de práctica se domina enseguida. Te acostumbrarás a manejarlo y dejarás de preocuparte por si no lo coges bien.

Existen muchas formas de coger a un bebé, pero una de las más fáciles consiste en sujetarlo pegado a tu cuerpo, con la cabeza y el cuello apoyado en el pliegue de uno de los codos y colocando el otro brazo bajo su trasero. Es una posición fantástica, ya que os podéis mirar a los ojos el uno al otro.

A los recién nacidos les encanta que los cojan en brazos. Así pues, puedes quitarte la camiseta y recrear el famoso cartel titulado *Hombre y bebé*, en el que aparecía un joven musculoso meciendo tiernamente a un bebé diminuto. ¿Hace mucho que no haces ejercicio ni vas al gimnasio? No te preocupes, ¡al bebé no le importa si estás en buena forma física o no!

# aprovecha al máximo
# los primeros días

Cuando tu pareja dé a luz, es posible que tengas derecho a tomarte algunos días libres para poder familiarizarte con el recién nacido. El permiso de paternidad varía enormemente de un país a otro, y su duración puede depender asimismo del empleador. Algunos conceden permisos más largos, o permiten añadir parte de las vacaciones anuales (no cojas todos tus días de vacaciones al principio ya que te quedarías con muy poco tiempo libre para más adelante). Si trabajas por cuenta propia, deberás decidir cuánto tiempo puedes permitirte estar sin trabajar.

El permiso de paternidad o familiar te ofrece la oportunidad de conocer mejor a tu recién nacido; implicándote en los cuidados del bebé: enfrentarse con el baño, llevarlo

a dar una vuelta en el cochecito, cambiarle los pañales, acunarlo y acostarlo. A menos que tu bebé tome biberón, las diferencias biológicas obvias entre el hombre y la mujer te impedirán darle de comer; pero siempre puedes ayudarle a expulsar el aire, o pasearlo por casa durante esos ataques inexplicables de llanto que tienen los recién nacidos o cuando se niegue a dormirse

Mientras estés en casa, te ganarás una gran dosis de amor y agradecimiento si te arremangas y te dedicas de lleno a los quehaceres domésticos. Lava los platos, haz las camas, mete la ropa en la lavadora y ordena la casa. Eso es importante si a tu mujer le han practicado una cesárea, ya que se considera una intervención quirúrgica seria y, por tanto, no volverá a su actividad normal hasta que hayan transcurrido varias semanas. También tendrás que ejercer de portero. En cuanto ella llegue a casa, puedes estar seguro de que habrá un aluvión de solicitudes por parte de amigos, familiares, colegas y vecinos: todos querrán haceros una visita. Tú serás el encargado de evitar que la experiencia resulte excesivamente agobiante tanto para la madre como para el bebé.

Los primeros días pasan volando. Sin embargo, si has aprovechado el tiempo al máximo, tendrás un vínculo afectivo fuerte con tu nuevo hijo, así como a algunos recuerdos maravillosos (¡y fotografías!) para toda la vida.

# la vuelta al trabajo

La vuelta al trabajo puede ser un momento difícil. Echarás de menos estar con tu pequeño, y es más que probable que estés todo el tiempo pensando en tu pareja y en tu hijo, y en cómo se las estarán arreglando sin ti. Así pues, puede llevarte algo de tiempo adaptarte de nuevo a tu rutina. El día que te reincorporas al trabajo es el peor. Todo el mundo desea felicitarte, bombardearte a preguntas, contarte cosas de sus hijos o pedirte que enseñes alguna fotografía, de modo que es recomendable que lleves unas cuantas.

Después, deberías ponerte al día con el trabajo. Solo que no puedes. O bien estás demasiado cansado y te quedas mirando con ojos vidriosos la pantalla del ordenador, incapaz de hacer nada, o bien estás todo el rato pensando en tu bebé y deseando llamar a tu pareja para saber cómo le va. Es un poco complicado, pero tendrás que arreglártelas lo mejor que sepas y premiarte haciéndoles una llamada a la hora de comer. Ya sé que no es fácil, pero intenta olvidarte un poco de tu mujer y tu hijo, confecciona una lista con todas las tareas que realizar y trata de llevarlas a cabo. El primer día es el más duro. Te resultará más fácil a medida que vayas recuperando tu rutina. Si pasados varios meses sigues desesperado por estar en casa, plantéate si podrías permitirte trabajar a tiempo parcial o cambiar de horario.

# la falta de sueño

Si trabajas en una oficina, te resultará muy fácil reconocer a los que acaban de ser padres. Son aquellos que llegan ligeramente tarde, tienen los ojos enrojecidos, parecen un poco desaliñados y en cuanto se acomodan en su mesa para empezar a trabajar, bostezan aparatosamente. Por desgracia, la falta de sueño suele ser inevitable cuando se tiene un bebé. Cuando el pequeño tiene hambre, estás completamente a su merced, ya que te hará saber que quiere comer con unos quejidos que te taladrarán la oreja y que solo cesarán cuando consiga lo que quiere. Por regla general, al principio, se despertará cada hora o cada dos horas, dependiendo de la rutina del bebé (¡o de la falta de esta!)

Es posible que entre tomas puedas volver a dormirte, pero también puede ocurrir que el pequeño empiece a quejarse otra vez mientras tú todavía estás intentando conciliar el sueño. Yo siempre he tenido el sueño más bien ligero y me cuesta muchísimo volver a dormir si me despiertan. Así pues, cuando mis hijos eran bebés, me pasaba días, semanas e incluso meses con la sensación de estar terriblemente cansado.

El agotamiento puede controlarse más o menos durante el permiso de paternidad o el fin de semana, pero esa sensación, que recuerda a cuando tienes resaca o te deja extremadamente atontado, resulta muy poco aconsejable cuando estás en el trabajo. A las pocas semanas del nacimiento de mi primer hijo, tuve una reunión de trabajo que duró unas dos horas. Al final me di cuenta de que no había pronunciado ni una sola palabra y que no podía recordar nada de lo que se había dicho. Afortunadamente para mí, la mayoría de los participantes en la reunión también tenían hijos, y habían pasado por lo mismo. Si tienes un jefe comprensivo, quizás valga la pena explicarle que durante algún tiempo te costará estar a tope, ¡aunque está claro que no todos los jefes tienen buen corazón!

Según los expertos, un adulto necesita dormir entre siete y nueve horas por la noche; pero según las estadísticas, la mayoría de padres duermen unas 350 horas menos de las que deberían durante el primer año de vida del bebé. La falta de sueño impide que el cerebro funcione correctamente, disminuye el nivel de atención y merma tu capacidad para resolver problemas. También puede hacer que estés un poco más malhumorado que de costumbre.

¿Y cuál es la solución? Algunos hombres desean compartir la experiencia y apoyar a su pareja; pero desde un punto de vista realista, el hecho de pasar alguna noche en otra habitación no viene nada mal y te ayudará a no comportarte de un modo totalmente incompetente en el trabajo (y en casa). Si el bebé toma biberón, tú y tu pareja podéis hacer turnos para la «toma de la noche», lo cual garantiza que al menos podrás dormir de un tirón y sin sobresaltos una noche de cada dos.

Mientras estás pasando por esta fase, parece que no se va a acabar nunca, pero afortunadamente la falta de sueño extrema no dura demasiado; a partir de los tres meses, algunos bebés empiezan a dormir toda la noche, o como mínimo alargan las tomas y empiezan a dormir cinco o seis horas de un tirón. Antes de que te des cuenta, empezarás a sentirte más animado, perspicaz y, por lo menos, eficaz en el trabajo.

# la relación con la suegra

Es posible que tengas una relación maravillosa con tu suegra; en ese caso, felicidades. Pero también es posible que cada vez que os veáis intercambiéis comentarios mordaces y se pueda mascar la tensión en el ambiente. En la mayoría de casos será una cosa intermedia. Además, por muy bien que lo pases con tu suegra en pequeñas dosis, lo normal es que no sientas la

necesidad de estar un tiempo
prolongado con ella.

Por desgracia para los que tienen
una relación complicada con su suegra,
tanto la madre como la abuela suelen
considerar que lo ideal cuando nace el
pequeño es que esta última se instale
en casa durante algún tiempo. Y aunque
a ti no te haga demasiada ilusión,
piensa que en este momento lo que
cuenta son los deseos de tu pareja y
lo más probable es que ella esté
encantada de tener cerca a su madre

para que le eche una mano. Disfrutarán compartiendo estos primeros momentos, pero además tu pareja aprenderá algunas cosas sobre la maternidad y podrá relajarse de vez en cuando, porque allí estará su madre para ocuparse del bebé.

En esa fase, tener a la suegra en casa puede resultar muy útil, pero no es lo mismo ser útil que interferir. Además, los tiempos cambian, y es posible que su idea de criar a un niño esté un poco pasada de moda, lo que significa que tendrás que escuchar un sinfín de consejos gratuitos y soportar comentarios sobre lo mal que lo estáis haciendo, como que dais de comer al niño con excesiva frecuencia o pocas veces, que el bebé tiene frío o calor, etc.

Existen muchas formas de manejar a una suegra difícil. Puedes intentar ganártela haciéndole pequeños regalos o sentándote a charlar con ella mientras tomáis una taza de café. O simplemente puedes morderte la lengua y mostrarte increíblemente agradable cuando ella se muestra desagradable contigo. No obstante, lo más probable es que seas lo suficientemente realista como para saber que las cosas no van a mejorar, de modo que limítate a sonreír, aguanta el chaparrón… y espera hasta que se vaya a su casa.

Si tu suegra tiene pensado instalarse en vuestra casa, es mejor planificar las fechas de modo que lo haga cuando se termine tu permiso de paternidad. Resultará mucho más útil para tu pareja que tener a varias personas rondando justo después del parto, y a nadie que le eche una mano dos semanas después.

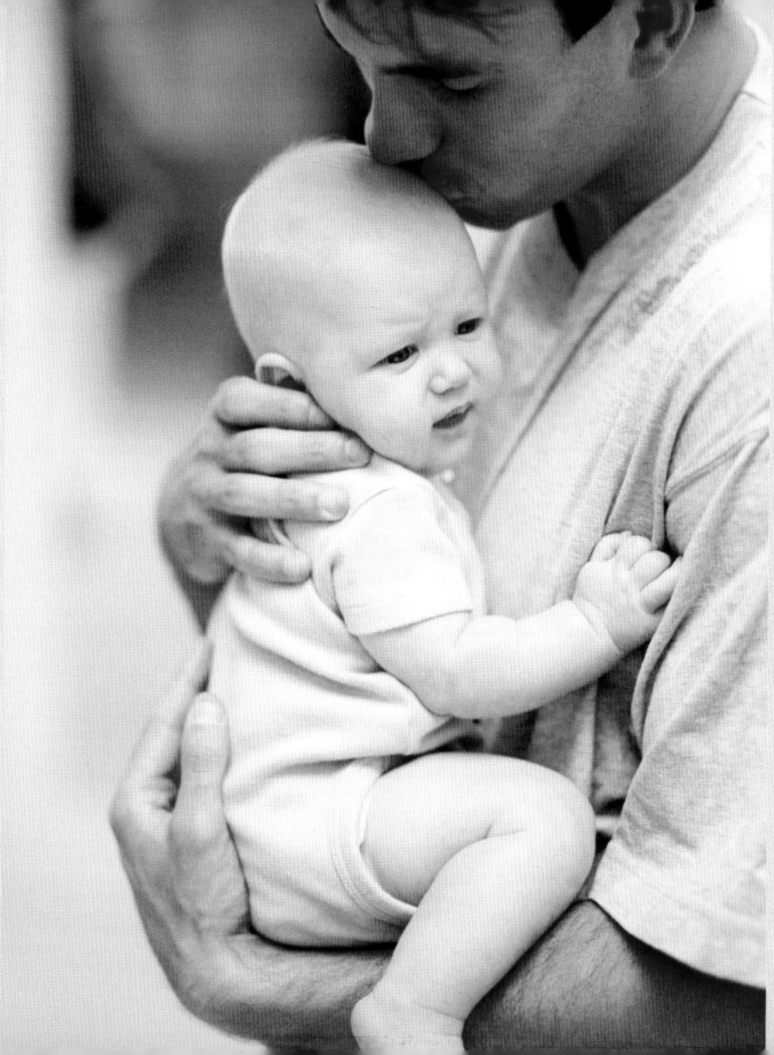

La mayoría de hombres admiten felizmente que el hecho de tener un bebé les va a cambiar por completo la vida, pero también hay otros que no pueden o no quieren aceptar de buena gana lo que supone la paternidad. En cuanto su pareja les comunica que está embarazada, advierten que no permitirán que ello altere su libertad, su estilo de vida. Bueno, ellos se lo pierden (y su familia también, por supuesto). Yo animo tajantemente a todo aquel que esté a punto de convertirse en padre a recibir la paternidad con los brazos abiertos y a aceptar que su antigua vida es agua pasada. A la mayoría no nos cuesta demasiado hacerlo. Si has disfrutado de varios años como soltero y luego con tu pareja, probablemente estés preparado para tomarte un respiro y dejar de salir de picos pardos.

# una vida completamente distinta

Aparte de aceptar que las cosas serán distintas, la forma más fácil de enfrentarse a un cambio en el estilo de vida es reconsiderando tus prioridades. Es importante que de vez en cuando veas a tus amigos, pero a partir de ahora debes anteponer a tu familia. Eso significa que no puedes aceptar invitaciones para ir a tomar algo, para salir o para ver un partido de fútbol sin consultar con tu pareja; y que si ella te da permiso, no debes abusar saliendo todas las noches.

Cuando me convertí en papá, los amigos seguían invitándome después del trabajo, pero yo me sentía obligado a volver a casa, y además tenía ganas de enterarme de todo lo que le había pasado a mi hijo durante el día. Al cabo de un tiempo dejaron de invitarme y me sentí ligeramente excluido. Sin embargo, la mayoría de ellos acabaron teniendo hijos, de modo que ahora todos estamos en la misma situación y nuestra vida social incluye a los niños.

Cuando te reincorpores al trabajo, es posible que sientas celos de tu pareja y pienses que ella lo está pasando estupendamente en casa con el niño. La realidad suele ser algo distinta: la mayoría de mujeres están exhaustas porque tienen que levantarse varias veces durante la noche para dar de comer al pequeño, siguen intentando recuperarse del parto o se pasan horas teniendo que calmar a un bebé malhumorado. Así pues, aunque hayas estado trabajando ocho horas en la oficina, no puedes llegar a casa, ponerte las zapatillas y desplomarte delante de la tele. Ocúpate de pasar el aspirador, poner la lavadora o preparar la cena. Si lo prefieres, puedes levantarte veinte minutos antes por la mañana para los quehaceres domésticos y, por supuesto, para preparar el desayuno.

Para ayudar a tu pareja, no basta con las tareas domésticas. Es posible que no haya tenido ni cinco minutos para sí misma durante todo el día, de modo que concédele un poco de tiempo. Dedícate a tu hijo mientras ella se sumerge en la bañera o sale a correr un poco.

## echa una mano a tu pareja

# involúcrate

En una ocasión leí una entrevista en la que un famoso afirmaba con orgullo que no había estado presente en el parto de ninguno de sus cuatro hijos y que no había cambiado un solo pañal en su vida. ¡Increíble! Está en su derecho de hacerlo (y es algo que tienen que tratar él y su mujer), pero esa actitud tan anticuada ante la paternidad me parece más propia de la Edad de Piedra; no esperaba encontrarme con algo así en pleno siglo XXI.

La verdad es que no tiene demasiado sentido tener hijos si uno no está dispuesto a involucrarse de verdad. Cambiar pañales, bañar al bebé, vestirlo o darle de comer si toma biberón: todas y cada una de estas tareas rutinarias te permiten pasar un tiempo precioso con tu pequeño, y contribuyen a establecer un vínculo afectivo entre ambos. Por otro lado, y gracias a tu ayuda, tu pareja podrá tomarse un respiro si se siente exhausta o agobiada. Además de fortalecer la relación con tu hijo, estas tareas pueden resultar enormemente agradables y gratificantes. Seguro que vivirás algún episodio divertido que podrás utilizar para avergonzarle cuando sea mayor…

A veces no es el machismo lo que impide que un hombre se involucre, sino algo mucho más irracional. Un amigo mío se ocupó sin demasiados problemas de su primer hijo, pero cuando tuvo a su primera hija, se sintió mucho más inseguro porque no sabía nada de niñas. Estaba tan nervioso que apenas se atrevía a cogerla. Yo le aconsejé que superara sus miedos y se involucrara. Los niños son bebés durante muy poco tiempo y no volverás a tener la oportunidad de establecer ese primer vínculo afectivo.

# el experto en heces...

Es muy poco probable que alguna vez hayas sentido el deseo de examinar de cerca el contenido de un pañal, pero a partir de este momento no tendrás más remedio y enseguida te darás cuenta de que las cacas del bebé cambian con regularidad de consistencia y color. Aunque eso puede alarmar a los padres novatos, es algo completamente normal. Las heces de tu bebé variarán dependiendo de la edad y la dieta, pero también pueden ser

Sin embargo, si hace deposiciones de color verde oscuro más adelante, y durante más de 24 horas, es aconsejable llevarlo al médico. Las deposiciones descoloridas pueden indicar un exceso de lactosa, demasiado alimento o falta del mismo, y también pueden deberse a algún virus estomacal.

El contenido de los pañales de los bebés que se alimentan de leche materna puede ser de color amarillo mostaza un día y amarillo con manchas verdosas otro. La textura suele ser bastante granulada. Las heces de los niños que toman biberón suelen ser más voluminosas y van desde el amarillo pálido al marrón.

No tardarás en reconocer las distintas texturas y tonalidades de la caca de tu bebé, como un adivino aficionado lee los posos del café. En la mayoría de los casos, no hay por qué preocuparse ante un cambio de aspecto; pero no dudes en llevarlo al médico si estás preocupado, especialmente si tu bebé tiene diarrea.

un signo de advertencia de que algo va mal.

Después del nacimiento, la caca de tu bebé será pegajosa y de color negro verdoso durante un par de días. Normalmente no hay de qué preocuparse; indica que está expulsando el meconio, una sustancia que se acumula en los intestinos del bebé durante el embarazo.

# qué hacer cuando está enfermo

Antes de tener al niño, tan solo tenías que cuidar de ti, y acababas rápidamente con cualquier resfriado, virus estomacal o dolor de cabeza metiéndote en la cama o tomando algún medicamento. Sin embargo, a partir de ahora, dadas las limitaciones de comunicación del bebé, tu necesidad imperiosa de protegerlo y tu falta de experiencia, lo más probable es que te pongas nervioso cada vez que el pequeño estornude sin ninguna razón aparente.

Es una reacción perfectamente comprensible, y muchos padres primerizos acuden con frecuencia al médico porque les preocupa que su hijo tenga alguna enfermedad que pueda tener graves secuelas. Cuando mis hijos eran pequeños, llegamos a conocer muy bien al médico de urgencias. Durante los primeros meses de vida, de vez en cuando, mi hijo tenía fiebre alta que no remitía, lloraba

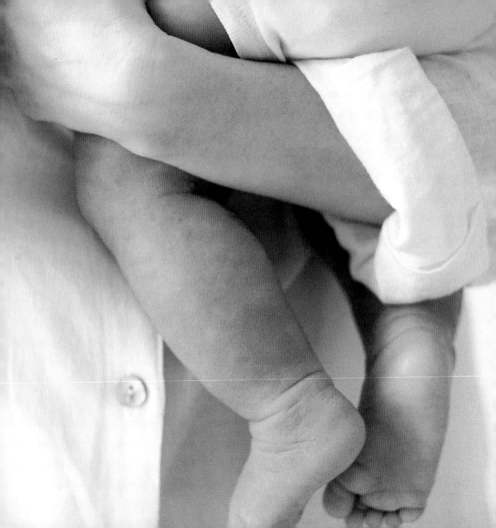

todo el tiempo, gritaba como si le doliera algo, o vomitaba aparatosamente. Por alguna extraña razón, dichos síntomas aparecían siempre a última hora de la tarde y, tras autoconvencernos de que algo iba realmente mal, marcábamos el teléfono de urgencias o nos íbamos al hospital más cercano muy asustados. Invariablemente, por supuesto, no era más que una simple infección leve de oído o garganta, y le recetaban algún medicamento o incluso nos decían que desaparecería por sí sola. Está claro que a veces me daba vergüenza ir al médico tan a menudo, pero nunca me he arrepentido. Más vale prevenir que curar, y la mayoría de médicos entienden perfectamente la preocupación de unos padres primerizos.

Si tu bebé está indispuesto, vale la pena echar un vistazo al capítulo de enfermedades de alguna guía infantil, o bien consultar un diccionario médico. Escoge la versión más actualizada que encuentres, con muchas fotografías a todo color que te ayuden a identificar cualquier posible indicio o síntoma.

# vuestra
# economía

Si antes de que naciera el bebé tanto tú como tu pareja trabajabais a tiempo completo, es muy posible que disfrutarais de un nivel de vida bastante bueno. Pero los ingresos pueden disminuir considerablemente si tu pareja coge el permiso de maternidad (o si decide dejar de trabajar). Está claro que un cambio de este tipo puede influir enormemente en vuestra economía. Así pues, es aconsejable que os sentéis y habléis de vuestra situación económica, que calculéis los ingresos y gastos, y que analicéis si podéis recortar de algún lado para que las cosas resulten más fáciles. Una vez elaborado el presupuesto, podréis planificar de forma adecuada y evitar gastar más de la cuenta. Vuestras vidas resultarán mucho menos estresantes.

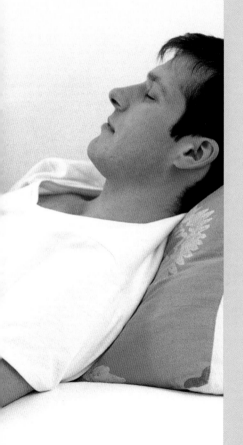

# vuestra relación

Es un hecho que después de dar a luz en lo último que pensará tu pareja es en su vida sexual. Los médicos suelen decir que las relaciones sexuales pueden reanudarse a las seis semanas del parto, pero muchas mujeres necesitan más tiempo, tanto físicamente (si han tenido un parto problemático) como emocionalmente.

Tu mujer puede tardar hasta seis meses en recuperarse del parto y, aunque te frustre la falta de intimidad, has de concederle todo el tiempo que necesite. En vez de enfurruñarte o recurrir al chantaje afectivo, intenta comprender la experiencia por la que acaba de pasar, y que criar a un niño al principio puede resultar agotador. Para volver a encender la llama, cortéjala de nuevo y, cuando esté lista, encárgate de que alguien se quede cuidando del niño para que podáis salir a cenar fuera. Antes de que te des cuenta, vuestra relación volverá a estar encarrilada.

Otro posible problema, aunque mucho menos frecuente, es que a algunos hombres les repugna pensar en el sexo después de haber visto a su mujer pariendo. Si a ella le apetece reanudar vuestra vida sexual pero tú sientes que desde que la viste dando a luz la llama se ha apagado, tan solo hay una solución. Tienes que superarlo. Ella dio a luz para que pudierais formar una familia, de modo que explícale lo que sientes y podréis empezar a avanzar los dos juntos.

# cuestiones prácticas importantes

¿qué
necesitaréis?

Si vuestra casa es un templo dedicado al minimalismo, quizás tengáis que reconsiderar la idea de formar una familia. Estoy bromeando, por supuesto. No obstante, resulta increíble la enorme cantidad de parafernalia que hay que adquirir cuando se va a tener un bebé. La primera vez que visitéis una tienda para bebés, descubriréis la gran cantidad de productos que existen. Afortunadamente, no necesitaréis todo lo que se oferta, aunque sí algunas cosas, como por ejemplo una sillita para el coche. Y aunque no disfrutes demasiado yendo de compras, el hecho de tener un bebé te ofrece la oportunidad de descubrir algunos artilugios bastante chulos.

# coche nuevo

Ante la llegada del primer hijo, uno suele sentir la necesidad de cambiar de coche, para optar no por un modelo rápido y llamativo para celebrar que vas a convertirte en papá, sino por uno más resistente o espacioso que el que tienes.

La mayoría de nosotros hasta ese momento no hemos tenido que tener en cuenta a terceras personas al comprar un coche. Hemos basado nuestra decisión o bien en su aspecto o bien en el precio. Pero a partir de ahora lo normal es que la seguridad y las necesidades de tu familia sean prioritarias. Instintivamente, desearás proteger a tu pequeña familia lo mejor que puedas. Así pues, si tienes un cacharro viejo y hecho polvo que ya no es lo que era, quizás deberías cambiarlo por uno con prestaciones más seguras.

Igual de importante es el espacio. En cuanto llegue el bebé, salir un fin de semana o simplemente a pasar el día fuera, se convierte en toda una odisea, como si un circo ambulante levantara el campamento para marcharse al pueblo siguiente. Tendrás que encontrar espacio para meter el cochecito, la cuna de viaje, los juguetes, el monitor para escuchar al bebé a distancia, el cambiador y otros muchos artilugios, además de tu equipaje, por supuesto. Lo normal es acabar deseando tener un maletero del tamaño de un buque de carga.

¿Dudas entre un modelo de dos puertas o uno de cuatro? Poner y sacar una silla de bebé en un coche de dos puertas puede resultar una tarea de lo más ardua. Existen muchas posibilidades de que acabes rayando la pintura y, además, tener que meter medio cuerpo para fijar la silla resulta tremendamente incómodo. Si sueles salir bastante, te interesa mucho más comprar un modelo de cuatro puertas; pero si no piensas usar demasiado el coche, puedes optar por uno de dos.

# equipa tu coche

Para que los trayectos en coche transcurran sin contratiempos, vale la pena dedicar cinco minutos a equipar el automóvil para tu bebé. Es imprescindible colocar en las ventanillas laterales persianas enrollables o de las que se fijan con ventosas, para que no le dé el sol en la cara. De hecho, no te olvidarás de ponerlas más de una vez, ya que lo normal es que el niño se ponga bastante nervioso si el sol le da en la cara.

Lo recomendable es que los recién nacidos viajen en el asiento de atrás en una sillita apropiada para su edad. Para los viajes largos, deja una bolsa en el coche con toallitas húmedas, pañales, una muda de ropa y algunos juguetes. Así no tendrás que vaciar todo el maletero cada vez que tengas que cambiar al niño.

La mayoría de niños se duermen con el traqueteo del coche, pero algunos necesitan un poco de ayuda adicional. Algunos cedés que recopilan canciones infantiles o nanas serán bien recibidos y ayudan a calmar el llanto del niño. Aguanta la música hasta que el pequeño se duerma, y luego apaga el cedé para proseguir el viaje en el más absoluto silencio…

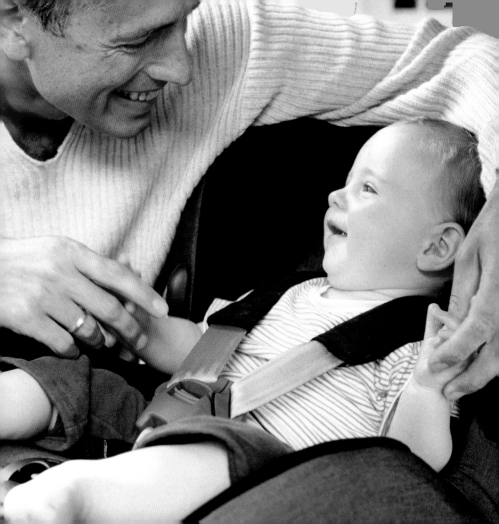

# las sillitas para coche

La sillita para el coche es un artilugio indispensable para que tu hijo recién nacido esté a salvo en el automóvil, de modo que cómprala con tiempo.

Existen distintos tipos de sillitas para coche dependiendo de la edad del niño, de su peso y altura. Durante el primer año de vida deben viajar en una silla que se coloca mirando hacia atrás, ya que es la forma más segura de transportarlo. En cuanto la silla se le quede pequeña, el niño deberá viajar en una silla erguida que vaya mirando hacia delante y que tenga cinco puntos de anclaje. Ambas quedan firmemente fijadas al asiento con un cinturón de seguridad de tres puntos o, en el caso de que tu coche sea nuevo, con los puntos ISOFIX (unos accesorios que lleva el asiento de atrás y que permiten sujetar la silla directamente al chasis del vehículo).

Para asegurarte de que compras la silla adecuada, es mejor pedir al que te vende que la fije al coche. No compres nunca una silla de coche de segunda mano. Aunque parezca que está bien, puede estar dañada y tener algún desperfecto que no se aprecie.

# el cochecito o la silla de paseo

Si visitas una exposición de cochecitos, te encontrarás con un parque móvil formado por distintos modelos en una desconcertante variedad de colores, formas y tamaños. Tomar una decisión no resulta nada fácil, y el discurso perfectamente ensayado del vendedor hace que escoger el coche perfecto resulte todavía más agotador.

Cuando vayas a comprar un cochecito o una silla de paseo, no confíes en entrar y salir de la tienda en cinco minutos. Muchos grandes almacenes pueden tener más de cincuenta modelos distintos, de modo que para decidir cuál escoger, vas a tener que estrujarte un poco el cerebro.

¿Debes comprar uno de tres ruedas, o uno de cuatro ruedas? ¿Un modelo tradicional, o un todoterreno que parezca salido de una película de ciencia ficción? ¿Sigues los consejos de tus padres y optas por algo razonable y práctico, o

asaltas tu hucha para poderte comprar el cochecito de diseño que todas las mamás famosas y con clase llevan en las páginas de las revistas de moda?

Como ocurre cuando te compras un coche, la elección de un cochecito depende en gran medida de los gustos de cada uno. Si eres de los que prefieren ir en un coche deportivo resplandeciente que en una furgoneta segura, lo más probable es que optes por un modelo ultramoderno para así poder despertar miradas de admiración mientras lo empujas por la calle, en vez de por un diseño utilitario que no llame para nada la atención.

Compres el que compres, has de tener en cuenta algunos aspectos clave antes de desprenderte de tu dinero. Lo primero que tienes que hacer es medir el maletero de tu coche. Sé de gente que ha entrado en una tienda, se ha enamorado de un cochecito, lo ha

encargado, lo ha recibido… y entonces se ha dado cuenta de que para conseguir meterlo en el maletero de su coche, tiene que pasarse diez minutos intentándolo (normalmente haciéndose rasguños en las manos y dejando el interior del coche hecho trizas en el proceso), o tiene que desmontar primero las ruedas. La vida es demasiado corta como para perder el tiempo en trámites engorrosos, de modo que antes de ir de compras, coge la cinta métrica y evita crearte problemas.

No te olvides de preguntar hasta qué edad sirve el cochecito. Los recién nacidos han de estar acostados, pero no todos los modelos lo permiten y, por tanto, no son recomendables desde el nacimiento. Sin embargo, muchos modelos disponen de respaldo abatible y pueden usarse desde el primer día hasta que el bebé prefiera ir andando. Son apropiados si no estás para gastos, o si buscas algo que te dure mucho. Los cochecitos diseñados para recién nacidos hay que adaptarlos cuando el pequeño tiene alrededor de los seis meses y quiere ir sentado y observar el mundo que lo rodea.

Algunos cochecitos parecen sacados directamente de una película: están equipados con multitud de chismes, entre ellos un manillar móvil y soportes para regular la altura. Es verdad que algunos pueden resultar útiles, pero piensa que cuantos más trastos tenga un cochecito, más probabilidades habrá de que algo se estropee. Si eres de los que suelen romper las cosas con facilidad, opta por un modelo estándar que no lleve ninguna floritura.

Es posible conseguir alguna ganga por Internet, pero siempre has de mirar los modelos en persona antes de hacer el pedido. Llévalo un poco por la tienda para ver si es fácil o no maniobrar con él, si puedes levantarlo y si eres capaz de abrirlo y cerrarlo sin tener que asistir a un curso de diez semanas. ¡Disfuta conduciendo! Perdón, quería decir empujando el cochecito…

# prepara la habitación del pequeño

¿Sabes qué es lo realmente indispensable en una habitación infantil? Sí, por supuesto, la cuna. Hay tantos modelos distintos, que la elección dependerá en gran medida del precio y de que encaje con el estilo de la habitación. Vale la pena averiguar si algún amigo o familiar tiene una que pueda dejarte. Mis dos hijos utilizaron la misma cuna, y era una que me pasaron mis padres, quienes la habían tenido guardada en su

casa durante más de veinte años, desde que la había dejado de usar mi hermano pequeño. Nosotros la hemos seguido pasando, y ahora la usa una sobrina mía. ¿Para qué comprar una nueva si, cambiando el colchón, puedes reciclarla y conservarla para la familia?

Otro mueble que suele ser muy popular es el cambiador. Te permite cambiar al bebé en una postura cómoda, sin tener que doblar la espalda ni arrodillarte en el suelo; además, dispone de espacio para almacenar cosas debajo. Una versión más económica consiste en colocar un simple cambiador de viaje sobre una cómoda.

Ten presente que en cuanto el bebé sea capaz de darse la vuelta, has de tener mucho cuidado tanto si usas el cambiador como si usas la cómoda.

A menos que seas un poco rarito, no disfrutarás nada con el olor de los pañales sucios. Por eso los contenedores de pañales suelen gustar tanto. Parecen una papelera pequeña, pero contienen un rollo de film transparente perfumado y antibacteriano. Para usarlo, solo hay que levantar la tapa, meter el pañal sucio y girar una anilla para que el pañal quede precintado con el film. En el receptáculo caben hasta 28 pañales, de modo que no tendrás que ir

hasta el contenedor más cercano cada vez que cambies al bebé (lo que suele ocurrir varias veces al día).

No empieces a comprar de todo como un loco, porque no lo necesitas. Aparte de los artículos mencionados, las únicas cosas esenciales son un monitor para oír al bebé a distancia y un termómetro. Ah, y una cómoda o un armario para guardar toda la ropa del bebé, las sábanas, las toallas, los pañales y una plétora de lociones, pociones y cremas…

# la ropa del bebé

La llegada de un bebé suele traducirse en un sinfín de regalos procedentes de amigos, familiares y compañeros de trabajo. Entre estos puede haber algún recuerdo que el pequeño conservará toda la vida o algo para los padres (una botella de cava o de whisky, por favor); pero de acuerdo con mi experiencia, en su mayor parte suele tratarse de ropa, y no de cualquier prenda, sino de miles de pijamitas, ranitas y camisetitas.

Todas esas cosas son muy útiles, pero los bebés crecen tan rápido que muchas se quedan sin utilizar porque a los tres meses el pequeño necesita una talla más. Así pues, para no acabar con los cajones abarrotados, es preferible organizarlo un poco. Es mejor que vosotros os ocupéis de comprar la ropa del recién nacido, y que propongáis a los amigos que compren prendas para más adelante.

¿Y qué es lo que necesitáis? Pues bien, el vestuario del recién nacido ha de incluir una selección de baberos, gorritos, manoplas y escarpines. También necesitará pijamitas, camisetas y trajes de una pieza; con unos siete tendrá suficiente, pero está claro que cuantos más tenga, menos veces tendrás que poner la lavadora. Y no olvides que cuando empieces a sacar a la calle al bebé, necesitarás chaquetas de punto, una mantita y un abrigo.

# la seguridad

Probablemente, la forma más eficaz de proteger a tu hijo sea usando los ojos, la inteligencia y la intuición, pero existen una serie de artilugios de alta tecnología que te proporcionarán tranquilidad cuando no puedas estar en la misma habitación que él. Un monitor o alarma para oír al bebé a distancia es esencial para poder vigilar los movimientos y la respiración de tu hijo mientras duerme. Suele incluir dos aparatos: el que se coloca cerca de la cuna del bebé y el que puede ir arriba y abajo con los padres, tanto si están preparando la comida en la cocina como si se están relajando un poco delante del televisor. Existen muchos modelos distintos, con distintos grados de sofisticación, prestaciones especiales y precios muy variados.

Algunos solo tienen sistema de audio para detectar los sonidos o movimientos, mientras que otros permiten hablar con el bebé mediante un altavoz, o reproducen nanas grabadas para tranquilizar al niño cuando es necesario. Algunos de los modelos más avanzados incorporan incluso cámaras (algunas con visión nocturna) que permiten observar al niño mientras duerme. La elección dependerá de tus preferencias; pero si puedes, opta por un modelo que disponga de una pantalla para controlar la temperatura de la habitación donde duerme el niño. También es aconsejable poner un termómetro en la misma, que debe mantenerse entre 16°C y 20°C.

Otros artilugios útiles son los monitores para controlar la respiración o los casos de apnea. Se acoplan al pañal y si parece que el bebé deja de respirar, suena una alarma.

Cuando tu pequeño empiece a moverse, tendrás que poner tu casa a prueba de bebés: rejas para las escaleras, protectores para los enchufes y pantallas para proteger la chimenea y la vitrocerámica, además de sistemas de seguridad para los electrodomésticos, las puertas y los armarios.

# los juguetes

Aunque estés deseando salir corriendo a comprar una pista para coches de carreras, un futbolín o un helicóptero teledirigido, domínate. Si eres uno de esos futuros padres que ves en el bebé una buena excusa para revivir tu propia infancia o para comprar todos aquellos juguetes que nunca tuviste, deberás tener un

poco de paciencia y esperar algunos años más; tu hijo tiene que crecer un poco para poder jugar con todas esas cosas apasionantes.

Los recién nacidos tienen unos gustos muy sencillos, y se entretienen fácilmente con unos pocos juguetes. Dado que se pasan la mayor parte del tiempo en su cuna, vale la pena comprar un móvil para bebés. Los que reproducen música relajante son fantásticos e incluso pueden ayudarlo a conciliar el sueño. La manta de juegos se convertirá en un juguete básico. Los bebés disfrutan mucho rodando y dando patadas en estas mantas confeccionadas con un mosaico multicolor de materiales táctiles; las que incluyen arcos y sonajeros entretienen al bebé hasta que empieza a gatear.

Los libros blandos ejercen un efecto hipnotizador en los bebés a partir del mes de vida y, además, tienen unas esquinas perfectas para chupar. Compra unos cuantos que sean coloridos. También puedes potenciar su talento por la música comprándole algún sonajero de los que se sujetan a las muñecas o los tobillos. Los bebés aprenden enseguida que pueden hacer sonidos moviendo las piernas y los brazos.

A menos que todavía no hayas sido padre y te hayas leído el libro de cabo a rabo de una sentada, lo más probable es que ya hayas pasado por todos los preparativos del principio, el parto y los primeros meses de vida familiar, y que hayas salido airoso de la experiencia. Algunos son capaces de hacerlo con los ojos cerrados y para otros resulta algo más complicado, pero lo has conseguido. ¡Felicidades! Has dejado de ser un padre novato y te has convertido en todo un experto en temas de paternidad. ¡Bien hecho!

# ¡felicidades!, has aprobado el examen de «papá novato»

# créditos de las fotografías

Todas las fotografías tienen el © de Ryland Peters & Small, excepto las siguientes:

## © Stockbyte
Páginas 6, 11, 13 izquierda, 16, 17, 18, 21, 23 derecha, 29, 33, 43 derecha, 44, 53, 55 recuadro, 57, 71, 110, 111

## Cedidas por Mamas & Papas
www.mamasandpapas.com
páginas 2-3, 45, 46, 47, 58, 60-61, 83, 89, 91, 92

## Photolibrary.com
Páginas 32, 42, 84, 87, 88

## Cedidas por Strokke Care
www.stokke.com
Página 64

## Babyarchive.com
Catherine Benson Página 66 izquierda
Poppy Berry Página 78

## Fotografías por encargo
© Ryland Peters & Small

## Peter Cassidy
Página 62

## Vanessa Davies
Página 86

## Chris Everard
Página 24

## Winfried Heinze
Páginas 5, 63, 70, 73 fondo, 94–9
Sophie Eadie en Londres (The New
Shutter Company www.tnesc.co.uk
izquierda y 97 Malin Tovino Design
(iovino@btconnect.com),
104 (www.grosfield-architects.nl)

## Daniel Pangbourne
Páginas 20, 107 izquierda

## Kristen Peres
Páginas 27, 28, 49, 52

## Claire Richardson
Páginas 1, 31, 59, 68-69

## Debi Treloar
Páginas 8, 13 derecha, 14 izquie
41, 66 derecha, 72, 82, 99, 100

## Polly Wreford
Páginas 4, 7, 10, 12, 14 derecha
izquierda, 25, 30, 34, 35, 36, 3
izquierda, 48, 50, 51, 54, 55 fo
67, 73 arriba, 74 izquierda, 74 
76-77, 77, 79 izquierda, 79 der
izquierda, 94 centro, 96 derecha
103, 105, 106, 107 derecha, 1

# créditos de las fotografías

Todas las fotografías tienen el © de Ryland Peters & Small, excepto las siguientes:

**© Stockbyte**
Páginas 6, 11, 13 izquierda, 16, 17, 18, 21, 23 derecha, 29, 33, 43 derecha, 44, 53, 55 recuadro, 57, 71, 110, 111

**Cedidas por Mamas & Papas**
www.mamasandpapas.com
páginas 2-3, 45, 46, 47, 58, 60-61, 83, 89, 91, 92

**Photolibrary.com**
Páginas 32, 42, 84, 87, 88

**Cedidas por Strokke Care**
www.stokke.com
Página 64

**Babyarchive.com**
Catherine Benson Página 66 izquierda
Poppy Berry Página 78

**Fotografías por encargo**
© Ryland Peters & Small

**Peter Cassidy**
Página 62

**Vanessa Davies**
Página 86

**Chris Everard**
Página 24

**Winfried Heinze**
Páginas 5, 63, 70, 73 fondo, 94–95 Casa de Sophie Eadie en Londres (The New England Shutter Company www.tnesc.co.uk), 96 izquierda y 97 Malin Tovino Design (iovino@btconnect.com), 104 (www.grosfield-architects.nl)

**Daniel Pangbourne**
Páginas 20, 107 izquierda

**Kristen Peres**
Páginas 27, 28, 49, 52

**Claire Richardson**
Páginas 1, 31, 59, 68-69

**Debi Treloar**
Páginas 8, 13 derecha, 14 izquierda, 19, 26, 41, 66 derecha, 72, 82, 99, 100, 101

**Polly Wreford**
Páginas 4, 7, 10, 12, 14 derecha, 15, 22, 23 izquierda, 25, 30, 34, 35, 36, 38, 40, 43 izquierda, 48, 50, 51, 54, 55 fondo, 56, 65, 67, 73 arriba, 74 izquierda, 74 derecha, 75, 76-77, 77, 79 izquierda, 79 derecha, 80, 94 izquierda, 94 centro, 96 derecha, 98, 102, 103, 105, 106, 107 derecha, 108-109